Joanna Quinn
spezialisierte sich nach dem Grafik-Design-Studium auf Trickfilmillustration.
Heute ist sie eine international gefeierte Illustratorin.
Zwei ihrer Filme wurden bereits für den Oscar nominiert. Sie gewann zwei *Emmys*,
den *British Academy of Film and Television Arts Award* und den *British Animation Award*
in der Kategorie „Bester Kinderfilm".
Joanna Quinn stammt aus Birmingham und lebt heute
mit ihrem Mann und ihrer Tochter in Canterbury.

David McKee
ist einer der renommiertesten britischen Kinderbuchautoren.
Nach dem Besuch des Plymouth Art College verdiente er sich neben dem Malen
seinen Unterhalt als Zeichner für Zeitungen. Als er den Auftrag für ein erstes Bilderbuch erhielt,
begann er auch zu schreiben. Nach der Ausstrahlung etlicher seiner Bücher begann er Kinderfilme
für die BBC zu schreiben. Seine wohl bekannteste Kinderbuchfigur „Elmar, der karierte Elefant"
wurde in mehr als 30 Sprachen übersetzt. David McKee kommt ursprünglich aus Devon.
Heute lebt er in London und Südfrankreich.

Dieses Buch wurde mit Unterstützung von Charmin™,
einer Marke von Procter & Gamble, erstellt.

Charmin unterstützt

unicef

Die englische Originalausgabe erschien unter dem Titel:
„The Adventures of Charmin the Bear"
Text © 2003 by David McKee, illustrations © 2003 by Joanna Quinn
First published by
Andersen Press Ltd., London

1. Auflage 2004
© Edition Bücherbär im Arena Verlag GmbH
Würzburg 2004
Alle Rechte vorbehalten
Text: David McKee
Illustration: Joanna Quinn
Übersetzung: Martina Patzer
Printed in Italy
ISBN 3-401-08691-X

David McKee · Joanna Quinn

Charmin der Bär
und seine Freunde

Bärenstarke Kuschelgeschichten

Charmin, eine Marke von Procter & Gamble,
unterstützt
unicef

EDITION
BÜCHERBÄR

Träum schön, liebe Schildkröte!

Charmin Bär war müde und auf der Suche nach einem
Schlafplätzchen.
Hab ich ein Glück, dachte er, dass ich so ein weiches, kuscheliges
Fell habe, damit kann ich überall schlafen.
„Aber, hoppla, was ist das denn für ein komisches Geräusch?"
Charmin Bär stand wieder auf und ging nachsehen.

Das Geräusch kam von Schildkröte.
Die wälzte sich hin und her und versuchte einzuschlafen.

„Du musst dir ein weiches, kuscheliges Plätzchen suchen",
schlug Charmin ihr vor. „ICH habe ja ein ganz weiches Fell
und kann überall schlafen. Aber DU hast einen harten Panzer
und musst dir erst ein Plätzchen suchen, das kuschelig ist."
Und ganz stolz auf den klugen Rat, den er Schildkröte gegeben hatte,
fügte er hinzu: „Gute Nacht, liebe Schildkröte, träum was Schönes",
und trottete davon.

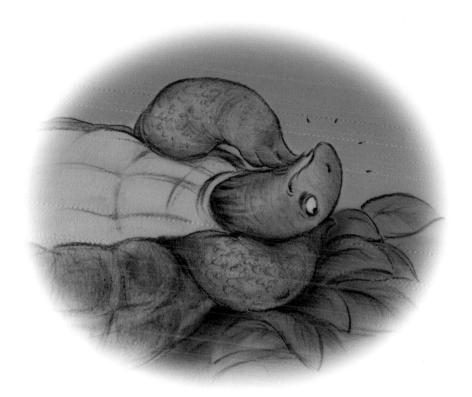

„Charmin Bär hat Recht", überlegte Schildkröte, „ich werde mir
ein weiches, kuscheliges Plätzchen suchen."

Sie hatte wohl laut vor sich hin gedacht, denn Fuchs,
der gerade des Wegs kam, fragte: „Warum möchtest du denn
ein weiches Plätzchen finden?"
„Zum Schlafen", erklärte Schildkröte und erzählte Fuchs,
was Charmin Bär gesagt hatte.
„Das ist eine gute Idee", sagte Fuchs. „Ich werde dich begleiten.
Ich habe zwar selbst ein kuscheliges Fell, aber schließlich
kann man nie weich genug liegen."

Kaum waren sie losgezogen, da begegnete ihnen Dachs.
„Hallo, Dachs, kannst du uns vielleicht helfen?",
sprach ihn Fuchs an. „Wir suchen ein weiches, kuscheliges Plätzchen."
Sie erzählten ihm von dem Rat, den Charmin Bär
Schildkröte gegeben hatte.
„Das ist eine hervorragende Idee", erwiderte Dachs, „und es klingt
so verlockend, dass ich euch gern bei der Suche helfe."

Inzwischen hatte es sich Charmin Bär an seinem Schlafplatz
gemütlich gemacht, als er plötzlich ein lautes Knacken hörte.
Der Wald ist heute Nacht so unruhig, dachte er,
was ist nur los da draußen?
Doch auch die vielen Geräusche hinderten ihn nicht daran,
kurz darauf einzuschlafen.

Als Charmin am nächsten Morgen aufwachte, fühlte er sich irgendwie merkwürdig, ganz anders als sonst.
Als er die Augen aufschlug, sah er, woran das lag:
Schildkröte, Fuchs, Dachs, Eichhörnchen und Kaninchen hatten sich zum Schlafen auf seinen Bauch gelegt.
„Ähem", räusperte er sich, „guten Morgen alle miteinander!"

„Oh, guten Morgen", antwortete Schildkröte ein wenig verlegen.
„Wahrscheinlich wunderst du dich ... Nun ja, ich hab allen von deinem Rat erzählt und wir fanden ihn ausgezeichnet.
Aber es ist nicht so einfach, im Dunkeln ein geeignetes Plätzchen zu finden, und da ist mir eingefallen,
dass du gesagt hast, wie weich dein Fell ist.
Also haben wir uns dich als Schlafplatz ausgesucht.
Und es war wirklich gemütlich."
„Wunderbar kuschelig weich",
ergänzte Dachs.

„Danke, meine Freunde", sagte Charmin Bär lächelnd.
„Und nun, da wir alle so gut geschlafen haben,
lasst uns zusammen frühstücken. Und danach
suchen wir für euch ein weiches und kuscheliges Plätzchen,
damit ihr auch heute Nacht gut schlafen könnt."
„Schon wieder so eine hervorragende Idee", lobte Fuchs.
„Nur", fügte er hinzu, „dass es niemals so kuschelig sein wird
wie in dieser Nacht."
„Niemals", seufzten die anderen bedauernd.

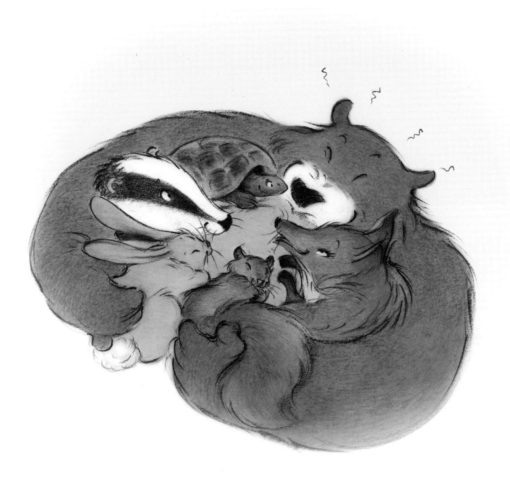

Eichhörnchen will hoch hinaus

Charmin Bär lag gerade gemütlich unter einem Baum und überlegte, was er Schönes tun könnte.

Am besten etwas, bei dem man sich nicht bewegen muss.

Da schwebte auf einmal über ihm eine Feder herab.

Weil sie fast auf seiner Nase gelandet wäre, pustete er einmal kräftig
und die Feder flog wieder nach oben. Danach schwebte sie
wieder nach unten und Charmin pustete sie erneut nach oben.
Und dann noch einmal und noch einmal.
Er war immer noch dabei, die Feder nach oben zu pusten,
als Dachs vorbeikam.

„Das sieht aus, als ob es Spaß macht. Und hier ist noch eine Feder. Ich will mitspielen", sagte Dachs.
Er pustete die zweite Feder in die Luft.
„Das ist ein schönes Spiel, weil ich mich dabei nicht bewegen muss", erklärte ihm Charmin Bär.

„Das ist ein schönes Spiel, weil ich dabei rumturnen kann",
sagte Dachs und vollführte die tollsten Kunststücke.

„Es ist ein schönes Spiel, weil wir alle mitspielen können",
sagte Eichhörnchen, das dazugekommen war.
„Und die Federn sind so schön weich."

„So weich wie dein Schwänzchen",
sagte Charmin Bär.
„So weich wie Charmin Bär",
sagte Dachs.
„Die Feder ist noch weicher",
sagte Eichhörnchen, „und ich
kann sie höher pusten
als ihr beiden eure."

„Was?", empörte sich Dachs,
„jetzt guck aber mal her!"
Er pustete kräftig und die Feder
segelte hoch in die Luft.
„Und jetzt ich", lachte
Charmin Bär.
Seine Feder stieg sogar
noch höher nach oben.

„Und jetzt ich",
sagte Eichhörnchen.
Es pustete die Feder hoch,
rannte dann am Baumstamm
entlang nach oben und pustete
dabei die Feder vor sich her.
Immer höher und höher
lief es hinauf.
„Das ist gemogelt",
lachte Dachs,
„aber du hast gewonnen."

„Du kannst jetzt aufhören",
rief Charmin Bär,
„du hast gewonnen."

Eichhörnchen pustete
ein letztes Mal kräftig,
da stolperte es plötzlich.
„Pass auf, Eichhörnchen",
riefen Dachs und Charmin.

Aber es war schon zu spät, Eichhörnchen verlor den Halt
und stürzte vom Ast.
Immer tiefer und tiefer fiel es – aber dann landete es
mit einem weichen Plumps auf Charmins Bauch.
„Ist alles in Ordnung, Eichhörnchen?", fragte Charmin Bär bestürzt.
„Ja, vielen Dank", erwiderte Eichhörnchen.
„Und, wärst du nun lieber auf der Feder
oder auf Charmin gelandet?", schmunzelte Dachs.

„Wie ...? Ach so, ich verstehe", sagte Eichhörnchen.
„Du hast wirklich Recht, Charmin Bär
ist doch viel weicher als die kleine Feder. – Zum Glück!"

Charmin, der Löwenbändiger

Charmin Bär stapfte durch den Wald und hielt Ausschau nach seinen Freunden.

Wo stecken bloß Fuchs, dachte er, und Dachs und Kaninchen?

Die drei Freunde waren indessen genauso ratlos wie Charmin.
Ängstlich versteckten sie sich hinter einem Felsen.
„Ich hab's versucht", flüsterte Kaninchen gerade leise,
„aber ich hab mich nicht getraut, weil ich zu sehr gezittert habe."
„Ich hab's auch probiert,
aber ich bin gegen
irgendwas gestoßen",
erklärte Dachs,
„und da fing er an,
sich zu bewegen,
also bin ich
weggelaufen."
„Stimmt, ganz
schnell! Wisst ihr was,
jetzt probier ich es",
sagte Fuchs
und schlich davon.

„Er schafft das schon, er ist ein Leisetreter", wisperte Dachs.

„Ja, er wird das hinkriegen", bekräftigte Kaninchen.

„Oh! Da ist er ja schon wieder."

Fuchs kam kopfschüttelnd zu ihnen zurück. „Es klappt nicht, das schafft keiner", sagte er. „Er hört den geringsten Laut."

„Was wir brauchen", sagte Kaninchen, „ist jemand Großes und Starkes."

Genau in diesem Moment bog Charmin Bär um die Ecke.
Er wollte sie gerade freudig mit lautem Hallo begrüßen,
da unterbrachen ihn die anderen und wisperten aufgeregt
„Pssst" und „Schhhh". Charmin traute sich nur noch zu flüstern:
„Was ist denn los?"

„Du kommst gerade richtig", sagte Fuchs,
„wir brauchen jemanden Großen und Starken."
„Was ist denn nur los?", wiederholte Charmin Bär besorgt.
„Also", fing Kaninchen an, „wir haben Ball gespielt und Dachs
hat den Ball zwischen die Felsen geworfen."
„Er ist mir einfach weggehüpft, der Ball – das lag am Ball",
murmelte Dachs.
„Und Löwe liegt da drüben und schläft", erklärte Fuchs.
„Oh", entfuhr es Charmin.

„Und Löwe mag es nicht, wenn jemand ihn
aufweckt, und niemand kann sich
an ihn heranschleichen,
wenn er schläft", sagte Kaninchen.
„Aber wenn jemand groß und stark wäre,
würde es nichts ausmachen",
ergänzte Fuchs, um das Ganze
nicht zu gefährlich
klingen zu lassen.

„Ihr wollt also, dass ich euch den Ball hole?", schmunzelte Charmin
und war auch schon unterwegs zu den Felsen.

„Groß und stark
und furchtlos",
seufzte Kaninchen.

Löwe schlief tief und fest mit dem Ball zwischen seinen Tatzen.
Ohne das geringste Geräusch zu machen, schlich Charmin Bär
hinüber und schnappte sich den Ball.
Löwe rührte sich nicht.

Als die anderen Charmin mit dem Ball sahen,
wurden sie ganz aufgeregt.
„Was ist passiert?", wollten sie wissen.
„Er hat ja nicht einmal gebrüllt", wunderte sich Fuchs.
„Weil unser Freund so groß und stark ist", vermutete Dachs.
Charmin Bär schmunzelte abermals. „Löwe hat nichts gemerkt.
Er hat geschlafen."
Charmin kickte gegen den Ball.
Die anderen rührten sich nicht, sondern starrten ihn bloß an.

„Niemand kann sich an Löwe anschleichen", sagte Fuchs.
„Aber niemand sonst ist so sanft, so sanft", seufzte Kaninchen,
„groß und stark und lautlos und sanft. Einfach wunderbar."
Dann liefen sie so leise sie konnten hinter dem Ball her
und wiederholten: „Sanft, ganz sanft, sanft, ganz sanft."

Die Wolkengucker

Charmin Bär lag gemütlich auf dem Rücken und überlegte gerade,
wie warm der Tag war und wie watteweich die Wolken aussahen,
da hopste Kaninchen auf seinen Bauch. Dann rannte es
schnell wieder davon, kam zurück und hüpfte abermals
auf seinem Bauch auf und nieder.

„Wenn du damit fertig bist, mein Frühstück nach unten zu stupsen",
sagte Charmin Bär, „könnte ich dann meinen Bauch wohl
wieder für mich haben?"

„Oh, du bist das", antwortete Kaninchen. „Ich dachte, das wäre
der Weg und gerade hier wäre der Boden so weich und gut gepolstert."

Charmin Bär setzte sich auf. „Würde es dir gefallen,
wenn ich auf deinem Bauch hcrumhopse?", fragte er.
Noch bevor Kaninchen antworten konnte, dass ihm das
überhaupt nicht gefallen würde, spürte Charmin Bär einen Stoß:
Fuchs war gegen seinen Rücken geprallt.
„Ich hoffe, du hast dir nicht wehgetan, Fuchs?", erkundigte sich
Charmin, als Fuchs sich wieder aufgerappelt hatte.
„Nein, zum Glück bist du ja ganz weich", erwiderte Fuchs.
„Aber was machst du denn hier eigentlich?"

„Ooooch – ich lasse hier die Leute in mich reinlaufen
und auf mir rumhopsen", erklärte Charmin Bär,
„und davor hab ich mir die Wolken angeschaut."
„Vielleicht solltest du dich dazu nicht mitten auf den Weg legen",
riet ihm Kaninchen.
„Oh, das hab ich gar nicht gemerkt", antwortete Charmin Bär
und stand auf. In einiger Entfernung vom Weg ließ er sich
wieder ins Gras fallen.
Fuchs und Kaninchen legten sich neben ihn.

Für ein Weilchen betrachteten sie schweigend zusammen die Wolken.

Dann flüsterte Kaninchen: „Ich kann ein Schloss sehen."
„Ein watteweiches Schloss", erwiderte Charmin Bär.
„Ich kann ein Pferd sehen", sagte Fuchs.
„Ein watteweiches Pferd", erwiderte Charmin Bär.
„Und ich, ich kann einen Bären sehen."
„Einen ganz watteweichen Bären", seufzten da Fuchs
und Kaninchen gemeinsam.
„Ganz, ganz weich", murmelte Charmin Bär.

Danach sagte keiner mehr was.
Vielleicht war das auch so, weil sie inzwischen
alle ganz fest eingeschlafen waren.